Przygody rycerza Szaławiły

ilustracje

Przemysław Sałamacha

CZECHOWICZ • PODSIEDLIK • RANIOWSKI • STECKI

WYDAWNICTWO PODSIEDLIK-RANIOWSKI I SPÓŁKA
założone w 1990 roku
Maciej Czechowicz, Piotr Podsiedlik, Krzysztof Raniowski, Michał Stecki

opracowanie graficzne – Grzegorz Michalak, Zbigniew Wera
opracowanie graficzne okładki – Hanna Polkowska

ISBN 83-7212-609-7

Wydawnictwo Podsiedlik-Raniowski i Spółka – sp. z o.o.
60-171 Poznań
ul. Żmigrodzka 41/49
tel. 867-95-46, fax 867-68-50
e-mail: office@priska.com.pl
http://www.priska.com.pl

Gdy wojna się skończyła,
Wsiadł rycerz Szaławiła
Na bułanego konia,
Za giermka wziął gamonia,
Co po wsiach kury kradł,
I milcząc ruszył w świat.

Miał giermek Roch na imię.
Nos odmrożony w zimie
Na gębie mu wykwitał
Jak rzepa pospolita,
A nade wszystko Roch
Spać lubił, bo był śpioch.

Miał rycerz zbroję podłą
I niewygodne siodło,
Do tego uprząż biedną
I strzemię tylko jedno,
Lecz za to żył w nim duch,
Co starczyłby za dwóch.

Tylko na jedną nogę
Przy bucie miał ostrogę,
Gorący w walkach udział
Sprawił, że włos mu zrudział,
Nietęgą postać miał,
Lecz rycerz był na schwał.

Mawiali o nim Szwedzi,
Że w nim stu diabłów siedzi,
Tatarzy z trwogi słabli
Na widok jego szabli,
A Turcy – zwykła rzecz –
Zmykali przed nim precz.

Gdy wojna się skończyła,
W świat ruszył Szaławiła,
Roch za nim z wolna człapał,
Bo miał niewielki zapał
Do przygód. Nadto Roch
Niechętnie wąchał proch.

Rzekł rycerz: „Jestem głodny,
To objaw niezawodny,
Że gdzieś tu jest zamczysko
Albo oberża blisko.
Na pieczeń mam dziś chęć,
Mój giermku! Za mną pędź!"

Z pół mili ujechali,
A już widnieje w dali
Gospoda „Pod Fijołkiem",
Więc rycerz z swym pachołkiem
Przed bramą z konia zsiadł.
„Tu – rzecze – będę jadł!"

Koń dawniej rżał, dziś nie rży,
Gdy staje przy oberży.
Wiadomo – rycerz w nędzy,
A owsa bez pieniędzy
Nie daje przecież nikt.
Pan chudy – chudy wikt.

Toteż niepewnie trochę
Wszedł Szaławiła z Rochem
Do izby dość przestronnej,
Gdzie przy pieczeni wonnej,
Która zapiera dech,
Siedziało zuchów trzech.

Rzekł tedy Szaławiła:
„Hej, gospodyni miła,
Nam też tu podaj pieczeń,
A proszę – bez złorzeczeń,
Bo płacę, kiedy mam,
Dziś nie mam, stwierdzam sam".

GOSPODA
POD FIJOŁKIEM

Zaśmiała się szynkarka:
„A to z was niezła parka,
Wynoście się czym prędzej,
Nic nie dam bez pieniędzy,
Włóczęgów mamy dość,
A taki gość – nie gość!"

W rycerzu moc ożyła.
„Jam rycerz Szaławiła,
Do Króla Jegomości
Chodziłem nieraz w gości,
Król brał mnie grzecznie wpół
I sadzał za swój stół.

Ugaszczał mnie szach perski
I regent holenderski,
Królowa Izabela
I król węgierski Bela,
I nawet Wielki Fryc,
Lecz nie płaciłem nic!"

To rzekłszy, rycerz godnie
Podciągnął sobie spodnie.
„Niech miła gospodyni
Trudności nam nie czyni,
Nie jadłem od dwóch dni,
Aż w brzuchu mi się ckni".

Tu głos zabrały zuchy:
„Brzuch pusty, język suchy,
Któż ścierpi taką dolę?
Siadajcie tu przy stole,
Pieczeni jest w sam raz,
By nią ugościć was.

I piwa do wieczerzy
Nie zbraknie dla rycerzy.
Hej, gospodyni, żywo
Nieś chleb, mięsiwo, piwo,
Talerze, szklanki, nóż,
Prosimy siadać już!"

Rzekł rycerz Szaławiła:
„Przemowa nader miła,
Ogromnie sobie cenię
Szlachetne zgromadzenie,
Chodź, Rochu! Oto Roch,
Mój giermek, leń i śpioch".

„A my jesteśmy zuchy,
Wesołe pasibrzuchy.
Kochamy opowieści
O bohaterskiej treści.
Mów, Szaławiło, mów,
Słuchamy twoich słów!"

Za stół przybysze siedli,
Porządnie się najedli,
Roch aż językiem mlasnął,
Ze stołka spadł i zasnął,
A rycerz wziął się wpół
I swą opowieść snuł:

„Mam dwieście lat z kawałkiem,
Lecz jestem młody całkiem,
Mój ojciec miał trzy wieki,
Gdy zamknął swe powieki,
A mój stryjeczny dziad
Żył ponad pięćset lat.

Walczyłem ja w Wenecji,
W Hiszpanii, Grecji, Szwecji,
Pod Warną i nad Marną,
Choć miałem zbroję marną,
Mnie w Moskwie Batu chan
Czterdzieści zadał ran.

Gdy mi odrąbał głowę,
Myślałem – już gotowe!
Lecz zbiegli się lekarze,
Puszkarze, rusznikarze,
Przyszyli głowę znów
I proszę – jestem zdrów!

W Warszawie Bonaparte
Powiedział do mnie żartem:
– Do Pyr jedź, Szaławiło,
Tam jeszcze cię nie było!
Odrzekłem: – Rozkaz, sire,
Wyjeżdżam dziś do Pyr.

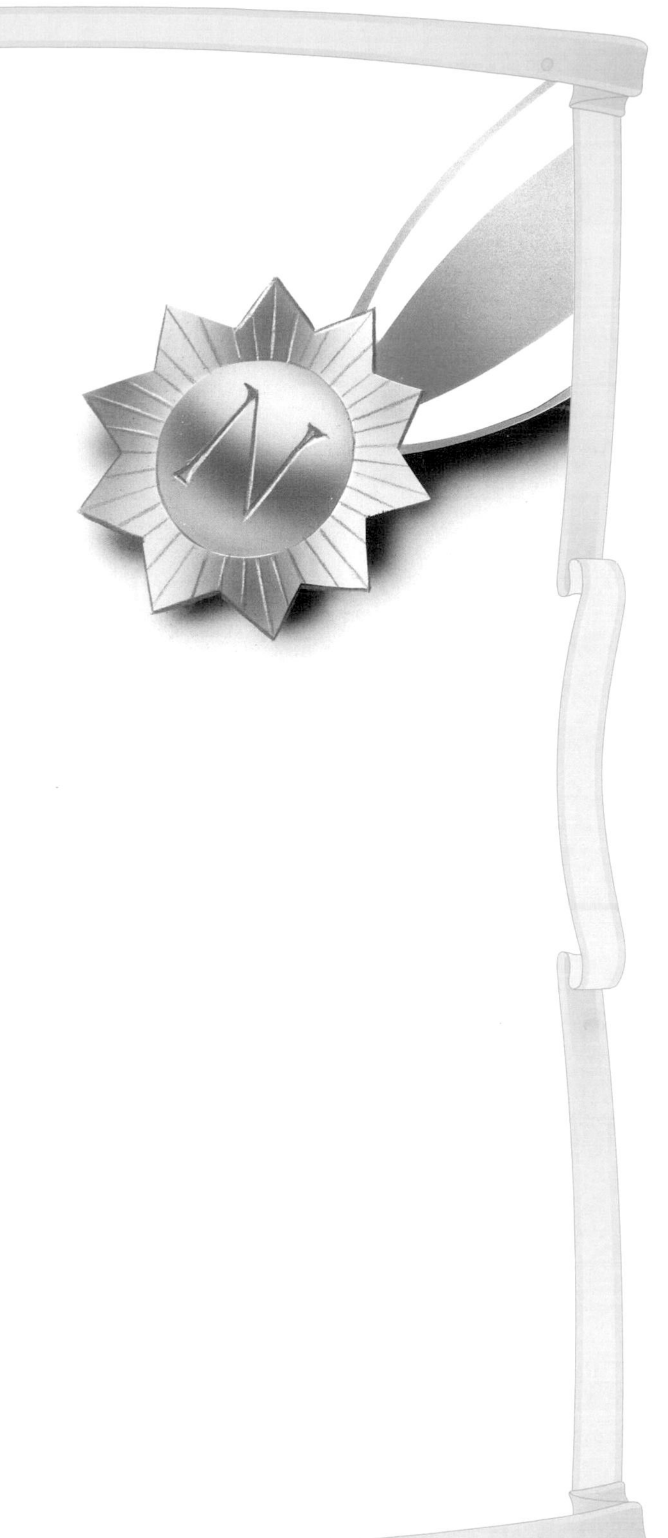

Przyjeżdżam tam koleją,
A w Pyrach już się leją
Kozacy i Prusacy,
I nasi zawadiacy.
Pif-paf! pif-paf! pif-paf!
Ruszyłem do nich wpław.

Złapałem wnet dowódcę
I mówię mu pokrótce,
Że rozkaz mam i władzę,
Że ja dziś pułk prowadzę.
Dowódca z gniewu zżółkł,
A ja prowadzę pułk.

Kozacy tył podali,
Prusacy się poddali
Wraz z całą artylerią.
(Mówię to całkiem serio!)
A cesarz do mnie rzekł:
– Wspaniały jesteś człek!

Mianuję cię marszałkiem.
(Mówię to serio całkiem!)
Masz Legię Honorową
(Daję wam na to słowo!)
I będziesz księciem Pyr.
Odrzekłem: – Rozkaz, sire!

Tak! Różnie w życiu bywa!"
Tu rycerz łyknął piwa,
Zapalił papierosa,
Kłąb dymu puścił z nosa,
Uderzył dłonią w stół
I swą opowieść snuł:

„Za króla Władysława
Ciekawsza była sprawa.
Chciał zdobyć król warownię,
Lecz wierzcie, że dosłownie
Z królewskich armat stu
Nie było żadnej tu.

Król widzi: rzecz zawiła.
– Gdzie – pyta – Szaławiła?
Niech hetman go sprowadzi,
On jeden coś zaradzi,
Pociski są, lecz jak
Nadrobić armat brak?...

Przyjeżdżam – król w rozpaczy.
Jest wprawdzie stos kartaczy,
Lecz armat nie ma wcale.
Powiadam: – Doskonale,
Bajeczny pomysł mam,
Armatą będę sam.

Wnet uczestniczę w walce:
Więc kartacz biorę w palce,
Podrzucam go do góry
I nogą ciskam w mury,
Jak piłkę nożną – buch!
Król woła: – To mi zuch!

Już drugi kartacz leci,
A zaraz po nim trzeci,
Po trzecim leci czwarty,
Wre walka nie na żarty.
Niebawem cały mur
Aż roił się od dziur.

Wtem patrzę – wprost z moczarów
Wyrasta pułk janczarów,
A ja sam jeden stoję,
Janczarów się nie boję,
Lecz cóż mam począć tu?
Ja jeden, a ich stu!

Rzucili się jak wściekli
I nogi mi odsiekli,
Więc tylko myślę sobie:
Co w tej opresji zrobię?
Jeszcze bym uciec mógł,
Lecz uciec jak bez nóg?

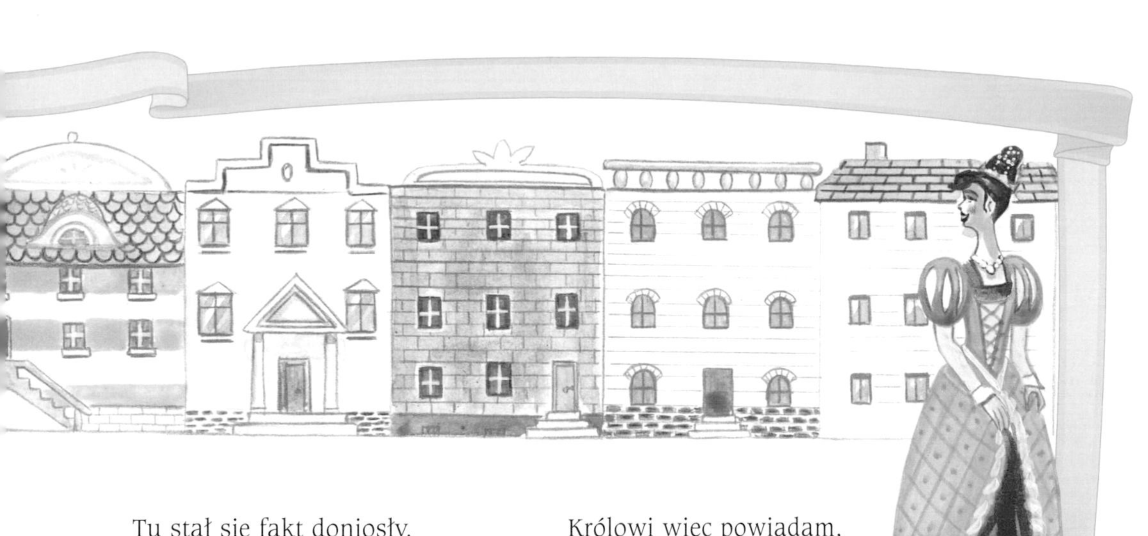

Tu stał się fakt doniosły,
Gdyż nogi mi odrosły
Z nadwyżką pięciu cali!
Janczarzy się poddali,
Bo taki zdjął ich strach.
– To szejtan, a nie Lach!

Król wezwał mnie nad ranem:
– Zostaniesz kasztelanem,
Otrzymasz wiosek dwieście
I pięć kamienic w mieście,
A nadto, jeśli chcesz,
Mą córkę dam ci też".

Tu jeden zuch zawoła:
„To rzecz niezwykła zgoła,
Opowiedz, jak to było,
Rycerzu Szaławiło!
Czy ożeniłeś się,
Gdzie żona twa, gdzie wsie?"

A rycerz rzecze: „Skądże!
Ja postępuję mądrze.
Królewna jest dla księcia,
Król księcia chce za zięcia,
A ja, zwyczajny kiep,
Żołnierski wolę chleb.

Królowi więc powiadam,
Że na to się nie nadam.
Król płakał bardzo rzewnie,
Powtórzył to królewnie,
Królewna rzekła: – Ach!
I utonęła w łzach.

A ja ruszyłem w drogę,
Bo szczerze wyznać mogę,
Że inne miałem plany.
Ja byłem zakochany!
Joanna, mówię wam,
Najmilszą była z dam.

Pamiętam, jestem w Rydze,
Wtem, w oknie wieży, widzę,
Prześliczna siedzi panna
(A była to Joanna).
Więc daję ręką znak,
Że niby tak a tak,

Że jestem nią olśniony,
Że takiej pragnę żony,
Że jestem Szaławiła,
Że gdyby się zgodziła,
Niech skreśli kilka słów
Lub powie: bywaj zdrów!

Zrzuciła tedy liścik,
Że na nic cały wyścig
Młodzieży i rycerzy,
Gdyż ją uwięził w wieży
Jej ojczym bardzo zły,
Więc tylko roni łzy.

Mnie, wiecie, nic nie wstrzyma,
Przychodzę do ojczyma,
Powiadam: – Mości książę,
Z daleka tutaj dążę,
By pasierbicy twej
Nieść ulgę w doli złej!

A książę jak nie wrzaśnie:
– Stu takich było właśnie,
Znam was, obieżyświatów,
Uciekaj, do stu katów,
A panna – wierzyć chciej,
Zostanie w wieży tej!...

Złość mnie okrutna bierze,
Wkoło obchodzę wieżę.
Ma łokci z pięć tysięcy
Lub może jeszcze więcej,
A jej sklepiony dach
Po prostu ginie w mgłach.

Na pomysł wpadłem wreszcie:
Skupuję sznury w mieście
I łączę je w godzinę
W niezwykle długą linę,
Najdłuższą, jaką znam,
To mogę przysiąc wam.

Jej koniec pochwyciłem,
Przez wieżę przerzuciłem,
By po dwóch stronach wieży
Zwisała jak należy.
Więc oba końce już
Z dwóch stron zwisają wzdłuż.

Dwie pętle na nich robię,
Z nich jedną mam na sobie,
A druga pętla taka
Oplata grzbiet rumaka.
Wyprężył rumak grzbiet
I pocwałował wnet.

Sznur, górą przerzucony,
Koń ciągnie z jednej strony,
A z drugiej wraz ze sznurem
Ja się unoszę w górę –
Nim jeszcze błyśnie świt,
Dostanę się na szczyt.

Rwie naprzód rumak chyży,
Mnie wciąga coraz wyżej,
Obijam się o mury
I widzę, patrząc z góry,
Że koń mój poprzez mgły
Nie większy jest od pchły.

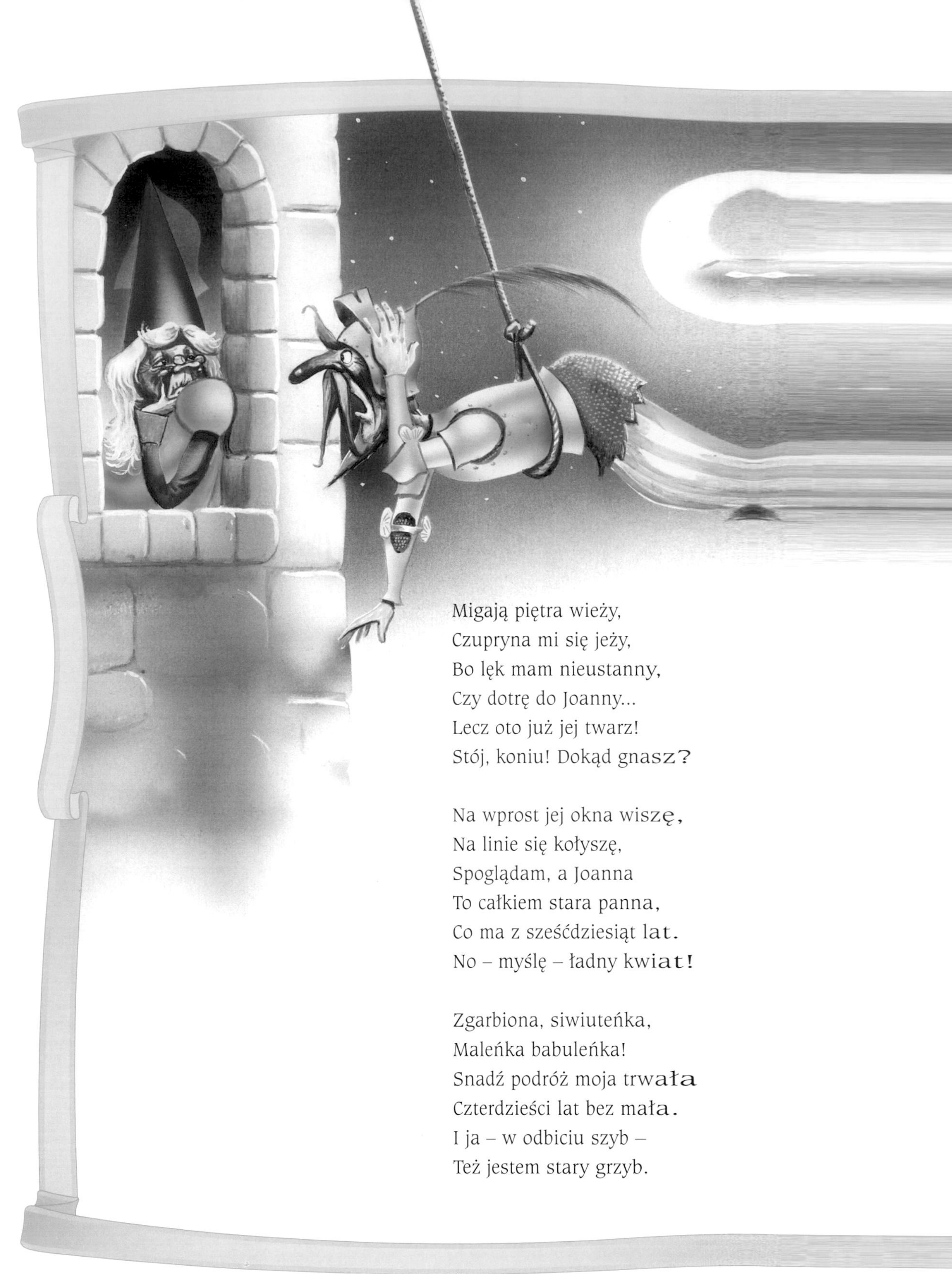

Migają piętra wieży,
Czupryna mi się jeży,
Bo lęk mam nieustanny,
Czy dotrę do Joanny...
Lecz oto już jej twarz!
Stój, koniu! Dokąd gnasz?

Na wprost jej okna wiszę,
Na linie się kołyszę,
Spoglądam, a Joanna
To całkiem stara panna,
Co ma z sześćdziesiąt lat.
No – myślę – ładny kwiat!

Zgarbiona, siwiuteńka,
Maleńka babuleńka!
Snadź podróż moja trwała
Czterdzieści lat bez mała.
I ja – w odbiciu szyb –
Też jestem stary grzyb.

Widokiem tym złamany,
Chwyciłem nóż składany,
Przeciąłem sznur – i jazda!
Jak spadająca gwiazda,
Na łeb na szyję w dół!
I jużem śmierć swą czuł.

Lecz tak mi się powiodło,
Żem trafił prosto w siodło.
Spoglądam: nie do wiary!
Nie jestem wcale stary,
Siwizny zniknął ślad,
Mam znów trzydzieści lat.

Mój koń jest też bez zmiany
I rączy, i bułany.
Ruszyłem tedy w drogę,
A dziś już dojść nie mogę,
Kto wtenczas z wieży spadł:
Ja, ojciec mój czy dziad".

Tu drugi zuch zawoła:
„Historia dziwna zgoła,
Aż mnie przejmują dreszcze!
Mów, Szaławiło, jeszcze,
Mów, Szaławiło, znów,
Słuchamy twoich słów!"

Znów rycerz łyknął piwa
I rzekł: „Przeróżnie bywa.
Słuchajcie, zuchy, bowiem
Historię wam opowiem,
Którą przez kilka lat
Rozbrzmiewał cały świat.

Gdy z wojskiem stałem w polu,
Królowa Neapolu,
Co ceni mnie ogromnie,
Przesłała liścik do mnie:
Monsieur de Chalavil,
(Francuski niby styl),

Śmierć sroga mi zabrała
Mojego admirała,
Mam wielką więc ochotę,
Ażebyś pan mą flotę
Na zachód i na wschód
Do nowych zwycięstw wiódł!

Gdy dama wzywa, jadę,
Bo taką mam zasadę.
Nazajutrz, daję słowo,
Stanąłem przed królową.
Gdym tylko do niej wszedł,
Dostałem od niej wnet

Kapelusz admiralski
I order portugalski,
Ponadto szpadę złotą
I władzę nad jej flotą!
Ukląkłem u jej stóp.
– Zwycięstwo albo grób!

Gdym złożył tę przysięgę,
Dostałem wielką wstęgę
I order Margrabini
Sardynki czy Sardynii,
Już nie pamiętam sam.
Ten order dotąd mam.

Ach! Mam orderów kopy
Od władców Europy.
Gdy nosić je należy,
Dobieram dwóch rycerzy
I w trzech dźwigamy tak,
Aż nieraz sił nam brak.

Gdy wróg posłyszał o tym,
Że ja objąłem flotę,
Chciał się ulotnić nagle,
Więc rozwinąłem żagle,
Ruszyła flota w bój,
A pierwszy okręt – mój!

Holendrzy i Anglicy
Miotali się jak dzicy,
Duńczycy potonęli,
Hiszpanów diabli wzięli
I tylko szwedzki król
Uniknął naszych kul.

Wtem wiatr na morzu ustał,
Rozwarłem tedy usta
I oddech po oddechu
Jak z potężnego miechu
Wypuszczać jąłem z płuc –
Bo przecież chcieć to móc!

Dmuchałem tak zawzięcie,
Że okręt po okręcie
Wypływał, Szwedów tropił
I niedobitków topił,
Bo wierzcie, takich płuc
Nie miewał żaden wódz.

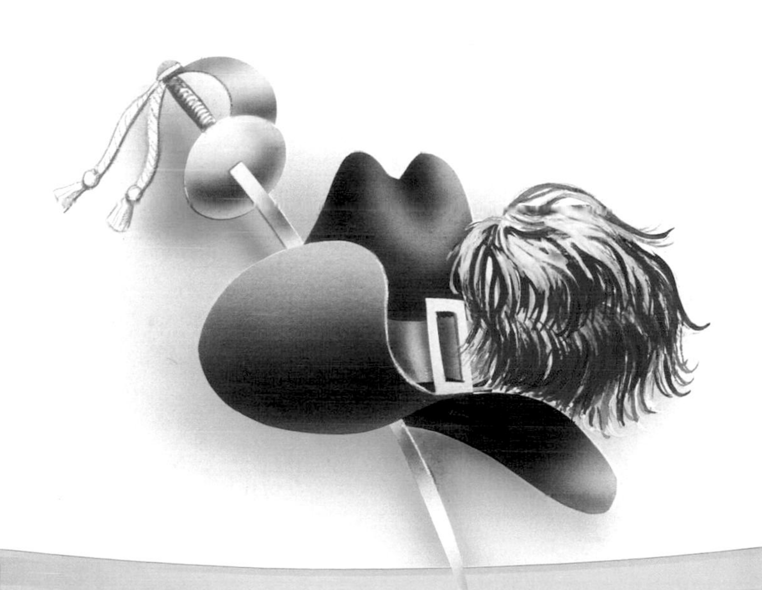

Walczyłem tak dwa lata
Na różnych morzach świata.
Chińczyków zwyciężyłem,
Amerykę odkryłem
I jeszcze jeden ląd,
Lecz go nie widać stąd.

Raz siedzę na pokładzie,
A okręt mój się kładzie.
Zlatuję w nurty słone.
No – myślę – już skończone!
Bo okręt z szumem fal
Popłynął sobie w dal.

Historia niewesoła!
Rozglądam się dokoła,
A tu rekinów stado
Już grozi mi zagładą
I pruje siną głąb,
I chce mnie wziąć na ząb.

A jeden z nich, złowrogi,
Już chwyta mnie za nogi
I paszczą na dwa łokcie
Obgryza mi paznokcie.
To straszne! Taki zbój
Chce przeciąć żywot mój!

Więc krzyczę z całej siły:
– Nie ruszaj Szaławiły,
Nie zjadaj admirała,
Królowa zakazała,
Byś admirała jadł!
I rekin nagle zbladł.

Schwyciłem go za ogon
I rzekłem z miną srogą:
– A teraz... jazda! Holuj
Mnie wprost do Neapolu!
I cóż? Po paru dniach
Wyrzucił mnie na piach.

Królowa przyszła do mnie,
Cieszyła się ogromnie,
Hrabiny, margrabiny
Szły do mnie w odwiedziny,
Za nimi cały dwór
I książąt długi sznur!"

Tu trzeci zuch zawoła:
„Przygoda dziwna zgoła!
Lecz mów, rycerzu, dalej,
Do kufla piwa nalej
I opowiadaj znów,
Słuchamy twoich słów!"

Chciał mówić Szaławiła,
Lecz nagle się zdarzyła
Rzecz wprost niewiarygodna,
Bo Rocha twarz dorodna
Wyjrzała z dołu wzwyż,
Złowieszczo szepcząc: „Mysz!"

Na stół nasz rycerz wskoczył,
Jak gdyby Turków zoczył,
I przerażony diablo,
Jął wymachiwać szablą,
I pocił się, i trząsł,
I skubał rudy wąs.

„Hej, zuchy, oręż bierzcie!
A ruszcie się nareszcie,
Ta bestia na mnie czyha,
Więc brońcie mnie, do licha!
Mógłbym ją zabić sam,
Lecz tępą szablę mam!"

Mysz do drzwi się rzuciła,
A wtedy Szaławiła
Zawołał: „Siodłać konie,
Ja w polu ją dogonię!"
I dał ze stołu skok,
Ku drzwiom kierując krok.

Niebawem był z powrotem,
Rzęsistym zlany potem,
Za sobą wlókł dziewczynę
I groźną robiąc minę,
Rzekł: „Prędzej tu się zbliż!
Panowie! Oto mysz!

Dziewczyny wzięła postać,
By łatwiej tu się dostać.
Jak ci na imię?" „Krysia..."
„Toś ty księżniczka mysia.
Ja sztuczki takie znam,
Umiem je robić sam.

Ty może nie wiesz o tym,
Że jestem właśnie kotem
I ciebie zjem, panienko!"
Tu zaczął miauczeć cienko
I na czworakach szedł,
Pocieszni prężąc grzbiet.

Od stołu wstały zuchy.
„Popatrzcie na te ruchy!
Dalibóg, istne dziwy,
To przecież kot prawdziwy!
A może obraz ten
To jest po prostu sen?

A może nam się śniły
Przygody Szaławiły?
Przy piwie różnie bywa,
Od piwa łeb się kiwa.
Hej, gospodyni, radź,
Czy mamy pić, czy spać?!"

„Spać, skoro jest ochota,
I już nie męczcie kota,
A Krysia – marsz do kuchni
I zaraz świecę zdmuchnij!
Dobranoc! Na mnie czas!
Panowie, żegnam was".